KB172051

# NEW 민법 및 민사특별법:

아날로그식 수험서

# NEW 민법 및 민사특별법: 아날로그식 수험서

**발　행** | 2024년 08월 22일
**저　자** | 권민석
**펴낸이** | 한건희
**펴낸곳** | 주식회사 부크크
**출판사등록** | 2014.07.15.(제2014-16호)
**주　소** | 서울특별시 금천구 가산디지털1로 119 SK트윈타워 A동 305호
**전　화** | 1670-8316
**이메일** | info@bookk.co.kr

**ISBN** | 979-11-419-0168-4

**www.bookk.co.kr**

# NEW 민법 및 민사특별법:
# 아날로그식 수험서

# [목차]

# [머리말]

※ 먼저 여러분의 성원으로 개정판이 나오게 된 것을 감사드리는 바이다.

공인중개사 시험이 열풍이다. 뉴스엔 연일 부동산 관련 소식이 나오며, 그 부동산을 중개하는 전문직인 공인중개사에 대한 관심이 높아 공인중개사를 공부하는 수험생이 매년 증가하고 있다. 그리고 그에 상응하게 수험서도 시중에 많이 나와 있는 상황이다.

시중에 나와 있는 수험서를 디지털식 수험서라 칭한다면, 이 책은 아날로그식 수험서이다. 아날로그식 수험서는 필자가 정의한 용어로 '예전 70~80년 시절의 수험서 형태로 전 페이지가 텍스트로 일원화된 수험서를 의미한다.

생각하기엔 시대를 역행하는 것 같지만, 아날로그식 학습법도 분명 필요하다. 공부에는 왕도가 없다. 사람마다 공부 방법이 다른 만큼 이러한 방식의 서술식 수험서도 있음을 알리고자 한다. 현재 출판계에 그렇게 많은 수험서가 존재하는 상황에서도 이 책을 발간하게 된 구체적인 계기와 이 책의 특징은 다음 페이지와 같다.

# [본 수험서의 특징]

1. 디지털식 수험서가 넘쳐나는 수험계 시장에서 또 다른 학습법이 존재한다는 것을 보여주고자 함

2, 사람마다 학습법이 다른 만큼 이 책을 부교재 삼아 기존의 교재에 하나의 추가된 아이템이 되고자 함

3. 텍스트 위주의 수험서가 가진 장점은 수험서 서술 방식이 텍스트로 일원화되어 일관된 방식의 학습을 하고픈 바쁜 수험생에게 적합한 학습 방법이 될 수도 있음

또한 이 책의 활용법은 수험생마다 다를 수 있지만 표준적인 가이드를 제시하자면 다음 페이지와 같다.

# [ 이 책의 활용법 ]

※ 총 100개의 기출식 문장을 읽어보며, 여러분들에게 앞으로의 수험계획과 방향을 세우는 데 도움을 주고자 하였다.

※ 아날로그식 공부법을 활용하는 데 도움이 되는 공부법들을 지면 속에 수록하였으니 잘 활용해 보길 권한다.

※ 100개의 기출식 문장만으로는 1차 과목을 모두 습득했다고는 할 수 없다. 하지만 100개의 문장을 토대로 그 문장 앞·뒤의 지식들을 스스로 인터넷이나 타수험서를 통해 찾아보며, 궁금증을 가지고 문제 풀기까지 해 본다면, 여러분의 지식은 한층 더 높아질 것이다.

※ 이 교재는 여러 기본서 들을 접근하기 전 OT 혹은 부교재로서의 활용을 권장한다. 아무쪼록 여러분들의 건승을 빈다.

여러분들의 합격을 진심으로 기원합니다.
- 저자의 말

# PART Ⅰ
# 이론100문장

인간은 양도할 수 없는 자기계발 권리를 가진다.
- 저메인 그리어

# 이론1.
# 민법총칙

게으름은 피곤하기 전에 쉬는 습관일 뿐.
- 쥘 르나르

# 제1장 서론

1. 법률관계는 법에 의해서 보호되는 자와 법에 의하여 구속되는 자와의 관계로 , 권리·의무관계라고 할 수 있다.

2. 법의 성질이 동일한 경우에는 서로 충돌이 일어날 수 있다. 이런 경우에는 일반법보다 특별법이 우선하고 구법보다 신법이 우선한다.

3. 준용은 필요한 변경을 가하여 적용한다는 의미로 기존어 민법 조문과 유사한 사항을 규정할 때 법률을 간결하게 할 목적으로 기존의 수정을 가하여 적용시키는 것을 말한다.

암 기 메 모 장

법률관계:

준용:

4. 고의란 자기의 행위로 인하여 일정한 결과가 발생한다는 것을 인식하면서 그 행위를 하는 것을 말한다.

5. 과실이란 일정한 결과 발생을 마땅히 인식해야 함에도 불구하고 부주의로 인해 인식하지 못하는 것을 말한다.

6. 추정은 반대의 증거가 제출되면 법규의 적용을 면할 수 있는 것을, 간주는 반대의 증거제출을 허용치 않고 법률이 정한 효력을 당연히 생기게 하는 것을 말한다.

암 기 메 모 장

고의:

과실:

추정:

## 제2장 통칙

7. 관습법이란 사회에서 자연적으로 발생한 관습 내지 관행이 일반인의 법적 확신을 얻어 법규법으로 승인된 것을 말한다.

8. 신의성실의 원칙이란 법률관계의 당사자는 서로 상대방의 신뢰에 어긋나지 않도록 성실히 행동해야 한다는 원칙을 말한다.

암 기 메 모 장

관습법:

신의성실의 원칙:

9. 인격권이란 권리의 주체와 분리할 수 없는 인격적 이익의 향수를 내용으로 하는 권리를 말한다.

10. 형성권이란 권리자의 일방적 의사표시에 의하여 법률관계의 발생·변경·소멸 등을 일으키는 권리를 말한다.

암 기 메 모 장

인격권:

형성권:

# 제3장 권리의 주체

11. 권리의 주체로는 자연인과 법인이 있으며, 법인에는 사단법인과 재단법인이 있다.

12. 권리능력이란 권리의 주체가 될 수 있는 지위 또는 자격을 말한다.

13. 의사능력이란 자기 행위의 의미나 결과를 인식·판단하여 정상적인 의사결정을 할 수 있는 정신능력을 말한다.

암 기 메 모 장

권리의 주체:

권리능력:

의사능력:

14. 행위능력이란 단독으로 유효한 법률행위를 할 수 있는 능력으로 민법상의 단순히 능력이라 하면 행위능력을 의미한다.

15. 제한능력자에는 미성년자, 피한정후견인, 피성년후견인 등이 있다.

암 기 메 모 장

행위능력:

제한능력자:

# 제4장 권리의 객체

16. 권리의 객체란 권리의 내용이 되는 일정한 대상을 말한다.

17. 부동산에는 토지와 정착물이 있으며, 정착물에는 건물, 수목, 미분리의 과실, 농작물 등이 있다.

18. 종물의 요건에는 주물의 상용에 공할 것, 주물과 장소적으로 밀접한 위치에 있을 것, 독립한 물건일 것, 주물과 종물이 동일한 소유자에게 속할 것 등이 있다.

암 기 메 모 장

권리의 객체:

부동산:

종물의 요건:

19. 물건으로부터 생기는 경제적 수익을 과실이라고 하고, 과실을 생기게 하는 물건을 원물이라고 한다.

20. 사용이익이란 원물의 사용대가가 아니라 원물을 직접 사용함으로써 얻는 이익을 말한다.

암 기 메 모 장

원물:

사용이익:

# 제5장 권리의 변동 - 서론

21. 법률요건이란 일정한 법률효과를 발생하게 하는 원인을 말한다.

22. 법률사실이란 법률요건을 구성하는 개개의 구체적 사실을 말한다.

암 기 메 모 장

법률요건:

법률사실:

23. 원시취득은 타인의 권리를 기초로 하지 않고, 새로 권리를 취득하는 경우를 말한다.

24. 권리의 변경 중 주체의 변경은 권리의 이전적 승계를 권리주체의 측면에서 파악한 것을 말한다.

25. 권리의 변경 중 작용의 변경은 1순위 저당권이 소멸되어 2순위 저당권이 순위 승진한 경우, 부동산임차권을 등기함으로써 대항할 수 있는 경우 등을 말한다.

암 기 메 모 장

원시취득:

주체의 변경:

작용의 변경:

# 제6장 권리의 변동 - 법률행위

26. 법률행위의 일반적 성립요건은 모든 법률행위에 공통적으로 요구되는 일반적 성립요건으로서 당사자, 목적, 의사표시가 존재하여야 한다.

27. 채권행위는 당사자 사이에 채권·채무의 발생을 목적으로 하는 법률행위이다.

28. 법률행위의 당사자란 법률행위의 주체로 법률효과가 귀속되는 자를 말한다.

암 기 메 모 장

법률행위의 일반적 성립요건:

채권행위:

법률행위의 당사자:

29. 법률행위의 목적은 그 법률행위에서 발생시키려는 법률효과를 말한다.

30. 강행규정에 위반되는 법률행위는 절대적 무효이다.

암 기 메 모 장

법률행위의 목적:

강행규정에 위반되는 법률행위:

# 제7장 권리의 변동 - 의사표시

31. 의사표시란 표의자가 일정한 법률효과의 발생을 목적으로 하는 의사를 외부에 표시하는 행위를 말한다.

32. 진의 아닌 의사표시란 표의자가 자기의 진의와 다른 의사표시를 스스로 알면서 하는 경우를 말한다.

암 기 메 모 장

의사표시:

진의 아닌 의사표시:

33. 통정허위표시란 표의자가 상대방과 합의하여 하는 진의 아닌 의사표시를 말한다.

34. 착오에 의한 의사표시란 표의자가 자신의 의사와 표시가 일치하지 않는 것을 모르고 하는 의사표시를 말한다.

35. 하자 있는 의사표시란 타인의 위법한 간섭으로 의사결정의 자유가 방해된 상태하에서, 자유롭지 못하게 행하여진 의사표시를 말한다.

암 기 메 모 장

통정허위표시:

착오에 의한 의사표시:

하자 있는 의사표시:

## 제8장 권리의 변동 - 법률행위의 대리

36. 법률행위는 대리인이 본인의 이름으로 하지만, 법률효과는 본인에게 귀속되는 제도가 대리제도이다.

37. 대리권이 본인의 의사표시에 의해 발생되는 것이 임의대리이고, 본인의 의사와는 관계없이 법률의 규정 등에 의하여 발생되는 것이 법정대리이다.

암 기 메 모 장

대리제도:

임의대리:

38. 복대리인은 대리인이 자기 이름으로 선임한 본인의 대리인이다.

39. 협의의 무권대리는 대리권 없이 본인의 이름으로 대리행위를 하였을 때를 말한다.

40. 표현대리는 대리인에게 대리권이 없는데 대리권이 있는 것 같은 외관이 존재하고 본인에게 외관형성의 책임이 있는 경우, 선의·무과실의 상대방을 보호하기 위한 제도이다.

암 기 메 모 장

본대리인:

협의의 무권대리:

표현대리:

## 제9장 권리의 변동 - 무효와 취소

41. 무효는 처음부터 당연히 효력이 없는 것으로 확정되어 있는 것을 말한다.

42. 법률행위의 일부가 무효인 경우에는 전부 무효가 원칙이다.

암 기 메 모 장

무효:

일부무효:

43. 취소할 수 있는 법률행위는 취소하기 이전에는 일단 유효이지만, 취소하면 법률행위시로 소급하여 무효가 된다.

44. 취소된 법률행위는 처음부터 무효인 것으로 본다. 따라서 선의의 수익자는 현존이익을, 악의의 수익자는 이익에 이자를 붙이고 손해가 있으면 손해까지 배상하여야 한다. 이는 부당이득반환 법칙으로 설명된다.

45. 추인할 수 있는 날이란 취소 원인이 소멸된 날로 강박상태에서 증여한 경우에는 강박상태에서 벗어난 날이다.

암 기 메 모 장

취소할 수 있는 법률행위:

취소된 법률행위:

추인할 수 있는 날:

# 제10장 권리의 변동 - 조건과 기한

46. 조건은 의사표시의 도달과는 관계없이 장래 불확실한 사실에 의해 효력이 발생 또는 소멸하는 법률행위의 부관이다.

47. 정지조건이란 법률행위의 효력발생을 장래의 불확실한 사실에 의존하게 하는 조건을 말한다.

암 기 메 모 장

조건:

정지조건:

48. 기한은 조건과 달리 장래 도래할 확실한 사실에 의해 효력이 발생 또는 소멸하는 법률행위의 부관이다.

49. 기한의 이익이란 기한이 아직 도래하지 않음으로써 당사자가 받는 이익을 말한다.

50. 당사자 일방만 기한의 이익을 갖는 경우는 상대방에 대한 일방적 의사표시로 언제든지 포기할 수 있다.

암 기 메 모 장

기한:

기한의 이익:

기한의 이익의 포기:

## 제11장 권리의 변동 - 소멸시효

51. 시효제도란 일정한 사실상태가 오랫동안 계속되면 그 상태가 진실한 권리관계에 합치되지 않더라도 그 사실 상태를 그대로 존중하여 권리의 취득 또는 소멸을 발생하게 하는 제도를 말한다.

52. 취득시효는 권리를 행사하고 있는 사실상태가 일정기간 동안 계속된 경우 권리의 취득을 인정해주는 제도를 말한다.

53. 소멸시효는 권리를 행사하지 않는 사실상태가 일정기간 동안 계속된 경우 권리의 소멸을 인정해주는 제도를 말한다.

암 기 메 모 장

시효제도:

취득시효:

소멸시효:

54. 소멸시효의 중단은 시효의 진행 중에 권리의 행사로 볼 수 있는 사실이 있으면 이미 경과한 시효기간은 소멸하고 그때부터 다시 소멸시효가 진행하게 되는 제도를 말한다.

55. 소멸시효의 정지란 소멸시효기간이 거의 완성될 무렵, 권리자가 시효중단행위를 하기가 불가능하거나 곤란한 경우에 그 시효기간의 진행을 일시적으로 멈추게 하고, 그러한 사정이 없어졌을 때 다시 나머지 기간을 진행시키는 것을 말한다.

암 기 메 모 장

소멸시효의 중단:

소멸시효의 정지:

# 이론2.
# 물권법

발견은 준비된 사람이 맞닥뜨린 우연이다.
- 알버트 센트 디외르디

## 제1장 물권의 의의

56. 물권이란 특정한 물건을 직접 지배하여 이익을 얻는 것을 내용으로 하는 배타적 권리를 말한다.

57. 물권의 주체에는 자연인과 법인이 물권의 주체가 된다. 다만, 외국인의 권리능력은 특별규정에 의해 일정한 제한을 받는다.

58. 물권의 객체는 원칙적으로 물건이지만, 예외적으로 권리가 될 수도 있다.

암 기 메 모 장

물권:

물권의 주체:

물권의 객체:

59. 일물일권주의란 하나의 물권의 객체는 1개의 독립한 물건이어야 한다는 것을 말한다.

60. 물권법정주의란 물권의 종류와 내용은 법률 또는 관습법이 정하는 것에 한하여 인정되며, 당사자가 물권을 자유롭게 청살하는 것을 금지한다는 원칙을 말한다.

61. 물권과 채권 사이에는 물권이 채권에 우선한다는 것이 원칙이다.

암 기 메 모 장

일물일권주의:

물권법정주의:

물권과 채권 사이:

## 제2장 물권의 변동

62. 법률행위에 의한 물권변동은 당사자의 의사표시에 근거하여 일어나는 물권변동으로, 부동산은 등기, 동산은 인도를 해야 효력이 발생한다.

63. 물권의 현상을 외부에서 알 수 있는 일정한 표상 내지 표지를 공시라고 말한다.

64. 점유취득시효는 법률규정에 의한 물권변동에 속하지만, 우리 민법은 등기해야만 소유권을 취득하는 것으로 규정하고 있다.

암 기 메 모 장

법률행위에 의한 물권변동:

공시:

점유취득시효:

65. 물권의 포기는 물권을 소멸시키는 의사표시로 성립하는 물권적 단독행위를 말한다.

66. 혼동으로 인한 물권의 소멸은 절대적이므로 혼동 이전의 상태로 복귀된다 할지라도 일단 소멸한 권리는 부활하지 아니 한다.

67. 공용징수는 원시취득이므로 피수용자의 권리와 그 목적을 위해 존재했던 권리는 모두 소멸한다. 다만 우선변제권이 있는 담보물권은 보상금에 대해서 물상대위를 할 수 있다.

암 기 메 모 장

물권의 포기:

혼동의 효과:

공용징수:

# 제3장 점유권

68. 점유권이란 어떤 물건을 사실상 지배하고 있는 경우에 그 물건의 지배를 정당화시켜 주는 법률상 권리가 있는가 없는가를 묻지 않고, 그 물건의 사실상 지배상태를 보호하는 권리를 말한다.

69. 점유보조자란 물건을 사실상 지배하고 있지만 점유자가 되지 못하는 자를 말한다.

70. 자주점유란 소유의 의사를 가지고 하는 점유를 말하고, 타주점유란 소유의 의사 없이 하는 점유를 말한다.

암 기 메 모 장

점유권:

점유보조자:

자주점유:

71. 선의점유란 본권이 없는데도 불구하고 본권이 있다고 믿은 점유를 말하고, 악의점유란 본권이 없음을 알면서 또는 본권의 유무에 대하여 의심을 품으면서 하는 점유를 말한다.

72. 물건에 대한 본권을 가진 자가 본권이 없는 점유자에게 물권적 반환청구권을 행사한 경우에 점유자는 본권자에게 점유물을 반환하여야 한다.

73. 점유보호청구권은 점유의 침해가 있는 경우에 본권의 유무와 관계 없이 점유 그 자체를 보호하기 위해 점유자가 그 침해의 배제를 청구할 수 있는 권리를 말한다.

암 기 메 모 장

선의점유:

점유자와 회자의 관계:

점유보호청구권:

## 제4장 소유권

74. 소유권은 소유자가 법률의 범위 내에서 그 소유물을 사용, 수익, 처분할 권리가 있다는 것을 말한다.

75. 상린관계란 인접한 부동산소유자 상호간의 이용을 조절함을 목적으로 하는 권리관계를 말한다.

76. 취득시효란 물건을 일정한 기간 점유한 자에 대하여 그 점유상태가 진실한 권리관계와 일치하는지의 여부와 관계없이 권리취득의 효과가 생기는 제도를 말한다.

암 기 메 모 장

소유권:

상린관계:

취득시효:

77. 첨부란 어떤 물건에 대하여 타인의 물건이 결합하거나 타인의 노력이 가해지는 것을 말한다.

78. 공동소유란 하나의 물건을 2인 이상의 다수인이 공동으로 소유하는 것을 말한다.

79. 법률의 규정 또는 계약에 의하여 수인이 조합체로서 물건을 소유하는 때에는 합유로 한다. 합유자의 권리는 합유물 전부에 미친다.

암 기 메 모 장

첨부:

공동소유:

합유:

## 제5장 용익물권

80. 용익물권은 타인의 물건을 일정한 범위에서 사용·수익할 수 있는 물권이다.

81. 용익권은 지상권, 전세권, 임차권으로 분류된다.

82. 지상권은 부종성이 없다. 따라서 건물이 멸실되더라도 지상권은 존속하고, 현재 건물이 없더라도 지상권은 설정할 수 있다.

암 기 메 모 장

용익물권:

용익권:

지상권:

83. 지상권 규정은 지상권자에게 불리한 약정은 효력이 없는 편면적 강행규정이다.

84. 지역권은 일정한 목적을 위하여 타인의 토지를 자기 토지의 편익에 이용하는 권리이다.

85. 전세권이 성립하려면 전세권설정계약과 등기 및 세금의 지급이 있어야 한다.

암 기 메 모 장

지상권 규정:

지역권:

전세권의 성립:

# 제6장 담보물권

86. 담보물권의 공통적 성질에는 부종성, 수반성, 불가분성, 물상대위성 등이 있다.

87. 유치권은 채권이 목적물에 관하여 생긴 것이어야 하는 피담보채권과의 견련성이 있어야 성립한다.

88. 저당권자는 채무자 또는 제3자가 점유를 이전하지 아니하고 채무의 담보로 제공한 부동산에 대하여 다른 채권자보다 자기 채권의 우선변제를 받을 권리가 있다.

암 기 메 모 장

담보물권의 성질:

유치권:

저당권:

89. 저당권의 피담보채권은 설정 당시에는 금전채권일 필요가 없으나, 실행할 당시에는 금전채권이어야 한다.

90. 저당권 설정 후 소유권을 취득한 자나 용익물권을 취득한 자를 제3취득자라 한다. 제3취득자는 저당권이 실행되면 소유권이나 용익물권이 소멸되기 때문에 보호할 필요가 있다.

91. 저당권 침해란 저당권의 담보가치를 떨어뜨리는 행위를 말한다.

암 기 메 모 장

피담보채권:

제3취득자 보호:

저당권 침해:

# 이론3.
# 계약법

진정한 여행자는 걸어 다니는 자이며,
걸어 다니며 자주 앉는다.
- 콜레트

# 제1장 계약법 총론

92. 쌍무계약이란 계약의 각 당사자가 서로 대가적 의미를 갖는 채무를 부담하는 계약을 말한다.

93. 쌍무계약의 당사자 일방은 변제기가 도래한 경우 상대방이 채무이행을 제공할 때까지 자기 채무의 이행을 거절할 수 있다. 이를 동시이행의 항변권이라 한다.

94. 계약에 의하여 당사자 일방이 제3자에게 이행할 것을 약정한 때에는 그 제3자는 채무자에게 직접 그 이행을 청구할 수 있다.

암 기 메 모 장

쌍무계약:

동시이행의 항변권:

제3자를 위한 계약:

## 제2장 계약법 각론

95. 계약금이란 거래관행상 매매계약을 체결할 때 그 계약에 부수하여 교부하는 금전 그 밖의 유가물을 말한다.

96. 교환은 금전 이외의 재산권을 이전하기로 하는 당사자간의 의사표시의 합치로 성립한다. 당사자 일방이 금전을 지급하기로 하는 경우에는 교환이 아니라 매매가 된다.

97. 임대차는 물건의 사용·수익을 목적으로 하는 채권계약으로 쌍무·유상·낙성·불요식의 계약이다.

암 기 메 모 장

계약금:

교환:

임대차:

# 제3장 법률규정에 의한 채권의 발생

98. 의무 없이 타인을 위하여 사무를 관리하는 자는 그 사무의 성질에 쫓아 가장 본인에게 이익되는 방법으로 이를 관리하여야 한다.

99. 법률상 원인 없이 타인의 재산 또는 노무로 인하여 이익을 얻고 이로 인하여 타인에게 손해를 가한 자는 그 이익을 반환하여야 한다.

100. 고의 또는 과실로 인한 위법행위로 타인에게 손해를 가한 자는 그 손해를 배상할 책임이 있다.

암 기 메 모 장

사무관리:

부당이득:

불법행위:

읽다 죽어도 멋져 보일 책을 항상 읽어라
- P. J. 오루크

# PART Ⅱ
## 하프모의고사 기출문제
## (한국산업인력공단 기출문제 참조)

미래는 예전의 미래가 아니다.
- 요기 베라

# 1회 하프기출문제(2023)
# 40문항 중 20문항
# (한국산업인력공단 기출문제 참조)

인생에는 서두르는 것 말고도 더 많은 것이 있다.
- 마하트마 간디

1. 다음 중 연결이 잘못된 것은?(다툼이 있으면 판례에 따름)

① 임차인의 필요비상환청구권 - 형성권

② 지명채권의 양도 - 준물권행위

③ 부동산 매매에 의한 소유권 취득 - 특정승계

④ 부동산 점유취득시효완성으로 인한 소유권 취득 - 원시취득

⑤ 무권대리에서 추인 여부에 대한 확답의 최고 - 의사의 통지

2. 불공정한 법률행위에 관한 설명으로 옳은 것은?(다툼이 있으면 판례에 따름)

① 불공정한 법률행위에도 무효행위의 전환에 관한 법리가 적용될 수 있다.

② 경락대금과 목적물의 시가에 현저한 차이가 있는 경우에도 불공정한 법률행위가 성립할 수 있다.

③ 급부와 반대급부 사이에 현저한 불균형이 있는 경우, 원칙적으로 그 불균형 부분에 한하여 무효가 된다.

④ 대리인에 의한 법률행위에서 궁박과 무경험은 대리인을 기준으로 판단한다.

⑤ 계약의 피해당사자가 급박한 곤궁 상태에 있었다면 그 상대방에게 폭리행위의 악의가 없었더라도 불공정한 법률행위는 성립한다.

3. 복대리에 관한 설명으로 틀린 것은?(특별한 사정은 없으며, 다툼의 있으면 판례에 따름)

① 복대리인은 행위능력자임을 요하지 않는다.

② 복대리인은 본인에 대하여 대리인과 동일한 권리 의무가 있다.

③ 법정대리인은 그 책임으로 복대리인을 선임할 수 있다.

④ 대리인의 능력에 따라 사업의 성공여부가 결정되는 사무에 대해 대리권을 수여받은 자는 본인의 묵시적 승낙으로도 복대리인을 선임할 수 있다.

⑤ 대리인의 대리권 소멸 후 선임한 복대리인과 상대방 사이의 법률행위에도 민법 제129조의 표현대리가 성립할 수 있다.

4. 법률행위의 부관에 관한 설명으로 틀린 것은?(다툼이 있으면 판례에 따름)

① 조건이 선량한 풍속 기타 사회질서에 위반한 경우, 그 조건만 무효이고 법률행위는 유효하다.

② 법률행위에 조건이 붙어 있는지 여부는 조건의 존재를 주장하는 자에게 증명책임이 있다.

③ 기한은 특별한 사정이 없는 한 채무자의 이익을 위한 것으로 추정한다.

④ 조건부 법률행위에서 기성조건이 해제조건이면 그 법률행위는 무효이다.

⑤ 종기 있는 법률행위는 기한이 도래한 때로부터 그 효력을 잃는다.

5. 점유자와 회복자의 관계에 관한 설명으로 옳은 것은?(다툼이 있으면 판례에 따름)

① 점유물이 점유자의 책임 있는 사유로 멸실된 경우, 선의의 타주점유자는 이익이 현존하는 한도에서 배상해야 한다.

② 악의의 점유자는 특별한 사정이 없는 한 통상의 필요비를 청구할 수 있다.

③ 점유자의 필요비상환청구에 대해 법원은 회복자의 청구에 의해 상당한 상환기간을 허여할 수 있다.

④ 이행지체로 인해 매매계약이 해제된 경우, 선의의 점유자인 매수인에게 과실취득권이 인정된다.

⑤ 은비에 의한 점유자는 점유물의 과실을 취득한다.

6. 민법상 합유에 관한 설명으로 틀린 것은?(특약은 없으며, 다툼이 있으면 판례에 따름)

① 합유자의 권리는 합유물 전부에 미친다.

② 합유자는 합유물의 분할을 청구하지 못한다.

③ 합유자 중 1인이 사망하면 그의 상속인이 합유자의 지위를 승계한다.

④ 합유물의 보존행위는 합유자 각자가 할 수 있다.

⑤ 합유자는 그 전원의 동의 없이 합유지분을 처분하지 못한다.

7. 부동산 소유권이전등기청구권에 관한 설명으로 옳은 것은?(다툼이 있으면 판례에 따름)

① 교환으로 인한 이전등기청구권은 물권적 청구권이다.

② 점유취득시효 완성으로 인한 이전등기청구권의 양도는 특별한 사정이 없는 한 양도인의 채무자에 대한 통지만으로는 대항력이 생기지 않는다.

③ 매수인이 부동산을 인도받아 사용·수익하고 있는 이상 매수인의 이전등기청구권은 시효로 소멸하지 않는다.

④ 점유취득시효 완성으로 인한 이전등기청구권은 점유가 계속되더라도 시효로 소멸한다.

⑤ 매매로 인한 이전등기청구권의 양도는 특별한 사정이 없는 한 양도인의 채무자에 대한 통지만으로 대항력이 생긴다.

8. 물권적 청구권에 관한 설명으로 틀린 것은?(다툼이 있으면 판례에 따름)

① 저당권자는 목적물에서 임의로 분리, 반출된 물건을 자신에게 반환할 것을 청구할 수 있다.

② 진정명의회복을 원인으로 한 소유권이전등기청구권의 법적 성질은 소유권에 기한 방해배제청구권이다.

③ 소유자는 소유권을 방해하는 자에 대해 민법 제214조에 기해 방해배제비용을 청구할 수 없다.

④ 미등기 무허가건물의 양수인은 소유권에 기한 방해배제 청구권을 행사할 수 없다.

⑤ 소유권에 기한 방해배제청구권은 현재 계속되고 있는 방해원인의 제거를 내용으로 한다.

9. 민법 제187조(등기를 요하지 아니하는 부동산물권 취득)에 관한 설명으로 틀린 것은?(다툼이 있으면 판례에 따름)

① 상속인은 상속 부동산의 소유권을 등기 없이 취득한다.

② 민법 제187조 소정의 판결은 형성판결을 의미한다.

③ 부동산 강제경매에서 매수인이 매각 목적인 권리를 취득하는 시기는 매각대금 완납시이다.

④ 부동산소유권이전을 내용으로 하는 화해조서에 기한 소유권취득에는 등기를 요하지 않는다.

⑤ 신축에 의한 건물소유권취득에는 소유권보존등기를 요하지 않는다.

10. 물권에 관한 설명으로 옳은 것은?(다툼이 있으면 판례에 따름)

① 물건 이외의 재산권은 물권의 객체가 될 수 없다.

② 물권은 「부동산등기규칙」에 의해 창설될 수 있다.

③ 구분소유의 목적이 되는 건물의 등기부상 표시에서 전유부분의 면적 표시가 잘못된 경우, 그 잘못 표시된 면적만큼의 소유권보존등기를 말소할 수 없다.

④ 1필의 토지의 일부를 객체로 하여 지상권을 설정할 수 없다.

⑤ 기술적인 착오로 지적도의 경계선이 실제 경계선과 다르게 작성된 경우, 토지의 경계는 지적도의 경계선에 의해 확정된다.

11. 지역권에 관한 설명으로 틀린 것은?(다툼이 있으면 판례에 따름)

① 지역권은 요역지와 분리하여 양도할 수 없다.

② 공유자 중 1인이 지역권을 취득한 때에는 다른 공유자도 이를 취득한다.

③ 통행지역권을 주장하는 자는 통행으로 편익을 얻는 요역지가 있음을 주장·증명해야 한다.

④ 요역지의 불법점유자도 통행지역권을 시효취득할 수 있다.

⑤ 지역권은 계속되고 표현된 것에 한하여 시효취득할 수 있다.

12. 근저당권에 관한 설명으로 틀린 것은?(다툼이 있으면 판례에 따름)

① 채권최고액에는 피담보채무의 이자가 산입된다.

② 피담보채무 확정 전에는 채무자를 변경할 수 있다.

③ 근저당권자가 피담보채무의 불이행을 이유로 경매신청을 한 경우, 특별한 사정이 없는 한 피담보채무액은 그 신청시에 확정된다.

④ 물상보증인은 채권최고액을 초과하는 부분의 채권액까지 변제할 의무를 부담한다.

⑤ 특별한 사정이 없는 한, 존속기간이 있는 근저당권은 그 기간이 만료한 때 피담보채무가 확정된다.

13. 민법상 유치권에 관한 설명으로 틀린 것은?(다툼이 있으면 판례에 따름)

① 유치권자는 유치물에 대한 경매권이 있다.

② 유치권 발생을 배제하는 특약은 무효이다.

③ 건물신축공사를 도급받은 수급인이 사회통념상 독립한 건물이 되지 못한 정착물을 토지에 설치한 상태에서 공사가 중단된 경우, 그 토지에 대해 유치권을 행사할 수 없다.

④ 유치권은 피담보채권의 변제기가 도래하지 않으면 성립할 수 없다.

⑤ 유치권자는 선량한 관리자의 주의로 유치물을 점유해야 한다.

14. 저당권에 관한 설명으로 옳은 것은?(다툼이 있으면 판례에 따름)
① 전세권은 저당권의 객체가 될 수 없다.
② 저당권 설정은 권리의 이전적 승계에 해당한다.
③ 민법 제365조에 따라 토지와 건물의 일괄경매를 청구한 토지 저당권자는 그 건물의 경매대가에서 우선변제를 받을 수 있다.
④ 건물 건축 개시 전의 나대지에 저당권이 설정될 당시 저당권자가 그 토지 소유자의 건물 건축에 동의한 경우, 저당토지의 임의경매로 인한 법정지상권은 성립하지 않는다.
⑤ 저당물의 소유권을 취득한 제3자는 그 저당물의 보존을 위해 필요비를 지출하더라도 특별한 사정이 없는 한 그 저당물의 경매대가에서 우선상환을 받을 수 없다.

15. 민법상 환매에 관한 설명으로 틀린 것은?

① 환매권은 양도할 수 없는 일신전속권이다.

② 매매계약이 무효이면 환매특약도 무효이다.

③ 환매기간을 정한 경우에는 그 기간을 다시 연장하지 못한다.

④ 환매특약등기는 매수인의 권리취득의 등기에 부기하는 방식으로 한다.

⑤ 환매특약은 매매계약과 동시에 해야 한다.

16. 매매의 일방예약에 관한 설명으로 틀린 것은?(다툼이 있으면 판례에 따름)

① 일방예약이 성립하려면 본계약인 매매계약의 요소가 되는 내용이 확정되어 있거나 확정할 수 있어야 한다.

② 예약완결권의 행사기간 도과 전에 예약 목적물인 부동산을 인도받은 경우, 그 기간이 도과되더라도 예약완결권은 소멸되지 않는다.

③ 예약완결권은 당사자 사이에 행사기간을 약정한 때에는 그 기간 내에 행사해야 한다.

④ 상가에 관하여 매매예약이 성립한 이후 법령상의 제한에 의해 일시적으로 분양이 금지되었다가 다시 허용된 경우, 그 예약완결권 행사는 이행불능이라 할 수 없다.

⑤ 예약완결권 행사의 의사표시를 담은 소장 부본의 송달로써 예약완결권을 재판상 행사하는 경우, 그 행사가 유효하기 위해서는 그 소장 부본이 제척기간 내에 상대방에게 송달되어야 한다.

17. 민법상 매매계약에 관한 설명으로 틀린 것은?(다툼이 있으면 판례에 따름)

① 매매계약은 낙성·불요식계약이다.

② 타인의 권리도 매매의 목적이 될 수 있다.

③ 매도인의 담보책임 규정은 그 성질이 허용되는 한 교환 계약에도 준용된다.

④ 매매계약에 관한 비용은 특약이 없는 한 매수인이 전부 부담한다.

⑤ 경매목적물에 하자가 있는 경우, 매도인은 물건의 하자로 인한 담보책임을 지지 않는다.

18. 민법상 임대차계약에 관한 설명으로 틀린 것은? (다툼이 있으면 판례에 따름)

① 임대인이 목적물을 임대할 권한이 없어도 임대차계약은 유효하게 성립한다.

② 임차기간을 영구로 정한 임대차약정은 특별한 사정이 없는 한 허용된다.

③ 임차인은 특별한 사정이 없는 한 자신이 지출한 임차물의 보존에 관한 필요비 금액의 한도에서 차임의 지급을 거절할 수 있다.

④ 임대차가 묵시의 갱신이 된 경우, 전임대차에 대해 제3자가 제공한 담보는 원칙적으로 소멸하지 않는다.

⑤ 임대차 종료로 인한 임차인의 원상회복의무에는 임대인이 임대 당시의 부동산 용도에 맞게 다시 사용할 수 있도록 협력할 의무까지 포함된다.

19. 집합건물의 소유 및 관리에 관한 법률상 집합건물의 전부공용부분 및 대지사용권에 관한 설명으로 틀린 것은?(특별한 사정은 없으며, 다툼이 있으면 판례에 따름)

① 공용부분은 취득시효에 의한 소유권 취득의 대상이 될 수 없다.

② 각 공유자는 공용부분을 그 용도에 따라 사용할 수 있다.

③ 구조상 공용부분에 관한 물권의 득실변경은 등기가 필요하지 않다.

④ 구분소유자는 규약 또는 공정증서로써 달리 정하지 않는 한 그가 가지는 전유부분과 분리하여 대지사용권을 처분할 수 없다.

⑤ 대지사용권은 전유부분과 일체성을 갖게 된 후 개시된 강제경매절차에 의해 전유부분과 분리되어 처분될 수 있다.

20. 가등기담보 등에 관한 법률이 원칙적으로 적용되는 것은?(단, 이자는 고려하지 않으며, 다툼이 있으면 판례에 따름)

① 1억원을 차용하면서 부동산에 관하여 가등기나 소유권 이전등기를 하지 않은 경우

② 매매대금채무 1억원의 담보로 2억원 상당의 부동산 소유권이전등기를 한 경우

③ 차용금채무 1억원의 담보로 2억원 상당의 부동산에 대해 대물변제예약을 하고 가등기한 경우

④ 차용금채무 3억원의 담보로 이미 2억원의 다른 채무에 대한 저당권이 설정된 4억원 상당의 부동산에 대해 대물변제예약을 하고 가등기한 경우

⑤ 1억원을 차용하면서 2억원 상당의 그림을 양도담보로 제공한 경우

# 2회 하프기출문제(2022)
# 40문항 중 20문항
## (한국산업인력공단 기출문제 참조)

이른 아침은 입에 황금을 물고 있다.
- 벤자민 프랭클린

1. 상대방 없는 단독행위에 해당하는 것은?
① 착오로 인한 계약의 취소
② 무권대리로 체결된 계약에 대한 본인의 추인
③ 미성년자의 법률행위에 대한 법정대리인의 동의
④ 손자에 대한 부동산의 유증
⑤ 이행불능으로 인한 계약의 해제

2. 다음 중 무효인 법률행위는?(다툼이 있으면 판례에 따름)
① 개업공인중개사가 임대인으로서 직접 중개의뢰인과 체결한 주택임대차계약
② 공인중개사 자격이 없는 자가 우연히 1회성으로 행한 중개행위에 대한 적정한 수준의 수수료 약정
③ 민사사건에서 변호사와 의뢰인 사이에 체결된 적정한 수준의 성공보수약정
④ 매도인이 실수로 상가지역을 그보다 가격이 비싼 상업 지역이라 칭하였고, 부동산 거래의 경험이 없는 매수인이 이를 믿고서 실제 가격보다 2배 높은 대금을 지급한 매매계약
⑤ 보험계약자가 오로지 보험사고로 가장하여 보험금을 취득할 목적으로 선의의 보험자와 체결한 생명보험계약

3. 통정허위표시(민법 제108조)에 관한 설명으로 옳은 것은?(다툼이 있으면 판례에 따름)

① 통정허위표시는 표의자가 의식적으로 진의와 다른 표시를 한다는 것을 상대방이 알았다면 성립한다.

② 가장행위가 무효이면 당연히 은닉행위도 무효이다.

③ 대리인이 본인 몰래 대리권의 범위 안에서 상대방과 통정허위표시를 한 경우, 본인은 선의의 제3자로서 그 유효를 주장할 수 있다.

④ 민법 제108조 제2항에 따라 보호받는 선의의 제3자에 대해서는 그 누구도 통정허위표시의 무효로써 대항할 수 없다.

⑤ 가장소비대차에 따른 대여금채권의 선의의 양수인은 민법 제108조 제2항에 따라 보호받는 제3자가 아니다.

4. 법률행위의 취소에 관한 설명으로 틀린 것은?(다툼이 있으면 판례에 따름)

① 제한능력자가 제한능력을 이유로 자신의 법률행위를 취소하기 위해서는 법정대리인의 동의를 받아야 한다.

② 취소권은 추인할 수 있는 날로부터 3년 내에, 법률행위를 한 날로부터 10년 내에 행사하여야 한다.

③ 취소된 법률행위는 특별한 사정이 없는 한 처음부터 무효인 것으로 본다.

④ 제한능력을 이유로 법률행위가 취소된 경우, 제한능력자는 그 법률행위에 의해 받은 급부를 이익이 현존하는 한도에서 상환할 책임이 있다.

⑤ 취소할 수 있는 법률행위에 대해 취소권자가 적법하게 추인하면 그의 취소권은 소멸한다.

5. 조건에 관한 설명으로 틀린 것은?(다툼이 있으면 판례에 따름)

① 조건성취의 효력은 특별한 사정이 없는 한 소급하지 않는다.

② 해제조건이 선량한 풍속 기타 사회질서에 위반한 것인 때에는 특별한 사정이 없는 한 조건 없는 법률행위로 된다.

③ 정지조건과 이행기로서의 불확정기한은 표시된 사실이 발생하지 않는 것으로 확정된 때에 채무를 이행하여야 하는지 여부로 구별될 수 있다.

④ 이행지체의 경우 채권자는 상당한 기간을 정한 최고와 함께 그 기간 내에 이행이 없을 것을 정지조건으로 하여 계약을 해제할 수 있다.

⑤ 신의성실에 반하는 방해로 말미암아 조건이 성취된 것으로 의제되는 경우, 성취의 의제시점은 그 방해가 없더라면 조건이 성취되었으리라고 추산되는 시점이다.

6. 민법상 대리에 관한 설명으로 옳은 것은?(다툼이 있으면 판례에 따름)

① 임의대리인이 수인인 경우, 대리인은 원칙적으로 공동으로 대리해야 한다.

② 대리행위의 하자로 인한 취소권은 원칙적으로 대리인에게 귀속된다.

③ 대리인을 통한 부동산거래에서 상대방 앞으로 소유권이 전등기가 마쳐진 경우, 대리권 유무에 대한 증명책임은 대리행위의 유효를 주장하는 상대방에게 있다.

④ 복대리인은 대리인이 자신의 이름으로 선임한 대리인의 대리인이다.

⑤ 법정대리인은 특별한 사정이 없는 한 그 책임으로 복대리인을 선임할 수 있다.

7. 권한을 넘은 표현대리에 관한 설명으로 옳은 것은?(다툼이 있으면 판례에 따름)

① 기본대리권이 처음부터 존재하지 않는 경우에도 표현대리는 성립할 수 있다.

② 복임권이 없는 대리인이 선임한 복대리인의 권한은 기본대리권이 될 수 없다.

③ 대리행위가 강행규정을 위반하여 무효인 경우에도 표현대리는 성립할 수 있다.

④ 법정대리권을 기본대리권으로 하는 표현대리는 성립할 수 없다.

⑤ 상대방이 대리인에게 대리권이 있다고 믿을 만한 정당한 이유가 있는지의 여부는 대리행위 당시를 기준으로 판정한다.

8. 토지를 점유할 수 있는 물권을 모두 고른 것은?

ㄱ. 전세권

ㄴ. 지상권

ㄷ. 저당권

ㄹ. 임차권

① ㄱ

② ㄱ, ㄴ

③ ㄱ, ㄹ

④ ㄷ, ㄹ

⑤ ㄱ, ㄴ, ㄷ

9. 점유에 관한 설명으로 옳은 것은?(다툼이 있으면 판례에 따름)

① 제3자가 직접점유자의 점유를 방해한 경우, 특별한 사정이 없는 한 간접점유자에게는 점유권에 기한 방해배제청구권이 인정되지 않는다.

② 취득시효의 요건인 점유에는 간접점유가 포함되지 않는다.

③ 소유권의 시효취득을 주장하는 점유자는 특별한 사정이 없는 한 자신의 점유가 자주점유에 해당함을 증명하여야 한다.

④ 선의의 점유자가 본권에 관한 소에 패소한 경우, 그 자는 패소가 확정된 때부터 악의의 점유자로 본다.

⑤ 양도인이 등기부상의 명의인과 동일인이며 그 명의를 의심할 만한 특별한 사정이 없는 경우, 그 부동산을 양수하여 인도받은 자는 과실 없는 점유자에 해당한다.

10. 소유권의 취득에 관한 설명으로 옳은 것은?(다툼이 있으면 판례에 따름)

① 저당권 실행을 위한 경매절차에서 매수인이 된 자가 매각부동산의 소유권을 취득하기 위해서는 소유권이전등기를 완료하여야 한다.

② 무주의 부동산을 점유한 자연인은 그 부동산의 소유권을 즉시 취득한다.

③ 점유취득시효에 따른 부동산소유권 취득의 효력은 시효 취득자가 이전등기를 한 이후부터 발생한다.

④ 타인의 토지에서 발견된 매장물은 특별한 사정이 없는 한 발견자가 단독으로 그 소유권을 취득한다.

⑤ 타주점유자는 자신이 점유하는 부동산에 대한 소유권을 시효취득할 수 없다.

11. 민법상 공동소유에 관한 설명으로 옳은 것은?(다툼이 있으면 판례에 따름)

① 공유자끼리 그 지분을 교환하는 것은 지분권의 처분이므로 이를 위해서는 교환당사자가 아닌 다른 공유자의 동의가 필요하다.

② 부동산 공유자 중 일부가 자신의 공유지분을 포기한 경우, 등기를 하지 않아도 공유지분 포기에 따른 물권변동의 효력이 발생한다.

③ 합유자 중 1인은 다른 합유자의 동의 없이 자신의 지분을 단독으로 제3자에게 유효하게 매도할 수 있다.

④ 합유물에 관하여 경료된 원인 무효의 소유권이전등기의 말소를 구하는 소는 합유자 각자가 제기할 수 있다.

⑤ 법인 아닌 종중의 그 소유 토지의 매매를 중개한 중개업자에게 중개수수료를 지급하기로 하는 약정을 체결하는 것은 총유물의 관리·처분행위에 해당한다.

12. 1필의 토지의 일부를 객체로 할 수 없는 권리는?(다툼이 있으면 판례에 따름)

① 저당권
② 전세권
③ 지상권
④ 임차권
⑤ 점유권

13. 민법상 유치권에 관한 설명으로 옳은 것은?(다툼이 있으면 판례에 따름)

① 유치권자는 유치물에 대한 경매신청권이 없다.
② 유치권자는 유치물의 과실인 금전을 수취하여 다른 채권보다 먼저 피담보채권의 변제에 충당할 수 있다.
③ 유치권자는 채무자의 승낙 없이 유치물을 담보로 제공할 수 있다.
④ 채권자가 채무자를 직접점유자로 하여 간접점유하는 경우에도 유치권은 성립한다.
⑤ 유치권자는 유치물에 관해 지출한 필요비를 소유자에게 상환 청구할 수 없다.

14. 지역권에 관한 설명으로 옳은 것은?(다툼이 있으면 판례에 따름)

① 요역지는 1필의 토지 일부라도 무방하다.

② 요역지의 소유권이 이전되어도 특별한 사정이 없는 한 지역권은 이전되지 않는다.

③ 지역권의 존속기간을 영구무한으로 약정할 수는 없다.

④ 지역권자는 승역지를 권원 없이 점유한 자에게 그 반환을 청구할 수 있다.

⑤ 요역지공유자의 1인은 지분에 관하여 그 토지를 위한 지역권을 소멸하게 하지 못한다.

15. 토지전세권에 관한 설명으로 옳은 것은?(다툼이 있으면 판례에 따름)

① 토지전세권을 처음 설정한 때에는 존속기간에 제한이 없다.

② 토지전세권의 존속기간을 1년 미만으로 정한때에는 1년으로 한다.

③ 토지전세권의 설정은 갱신할 수 있으나 그 기간은 갱신한 날로부터 10년을 넘지 못한다.

④ 토지전세권자에게는 토지임차인과 달리 지상물매수청구권이 인정될 수 없다.

⑤ 토지전세권설정자가 존속기간 만료 전 6월부터 1월 사이에 갱신거절의 통지를 하지 않은 경우, 특별한 사정이 없는 한 동일한 조건으로 다시 전세권을 설정한 것으로 본다.

16. 제3자를 위한 유상·쌍무계약에 관한 설명으로 옳은 것은?(다툼이 있으면 판례에 따름)

① 제3자를 위한 계약의 당사자는 요약자, 낙약자, 수익자이다.

② 수익자는 계약체결 당시 특정되어 있어야 한다.

③ 수익자는 제3자를 위한 계약에서 발생한 해제권을 가지는 것이 원칙이다.

④ 낙약자는 특별한 사정이 없는 한 요약자와의 기본관계에서 발생한 항변으로써 수익자의 청구에 대항할 수 있다.

⑤ 요약자는 특별한 사정이 없는 한 수익자의 동의 없이 낙약자의 이행불능을 이유로 계약을 해제할 수 없다.

17. 계약의 유형에 관한 설명으로 옳은 것은?
① 매매계약은 요물계약이다.
② 교환계약은 무상계약이다.
③ 증여계약은 낙성계약이다.
④ 도급계약은 요물계약이다.
⑤ 임대차계약은 편무계약이다.

18. 부동산의 환매에 관한 설명으로 틀린 것은(다툼이 있으면 판례에 따름)
① 환매특약은 매매계약과 동시에 이루어져야 한다.
② 매매계약이 취소되어 효력을 상실하면 그에 부수하는 환매특약도 효력을 상실한다.
③ 환매 시 목적물의 과실과 대금의 이자는 특별한 약정이 없으면 이를 상계한 것으로 본다.
④ 환매기간을 정하지 않은 경우, 그 기간은 5년으로 한다.
⑤ 환매기간을 정한 경우, 환매권의 행사로 발생한 소유권 이전등기청구권은 특별한 사정이 없는 한 그 환매기간 내에 행사하지 않으면 소멸한다.

19. 토지임차인에게 인정될 수 있는 권리가 아닌 것은?
① 부속물매수청구권
② 유익비상환청구권
③ 지상물매수청구권
④ 필요비상환청구권
⑤ 차임감액청구권

20. 집합건물의 소유 및 권리에 관한 법령상 관리인 및 관리위원회 등에 관한 설명으로 옳은 것은?
① 구분소유자가 아닌 자는 관리인이 될 수 없다.
② 구분소유자가 10인 이상일 때에는 관리단을 대표하고 관리단의 사무를 집행할 관리인을 선임하여야 한다.
③ 관리위원회를 둔 경우에도 규약에서 달리 정한 바가 없으면, 관리인은 공용부분의 보존행위를 함에 있어 관리위원회의 결의를 요하지 않는다.
④ 규약에서 달리 정한 바가 없으면, 관리인은 관리위원회의 위원이 될 수 있다.
⑤ 규약에서 달리 정한 바가 없으면, 관리위원회 위원은 부득이한 사유가 없더라도 서면이나 대리인을 통하여 의결권을 행사할 수 있다.

# PART Ⅲ
# 정답

계산된 위험은 감수하라.
이는 단순히 무모한 것과는 완전히 다른 것이다.
- 조지 S. 패튼

# 민법 및 민사특별법 하프기출문제(1회)

1. ①
2. ①
3. ④
4. ①
5. ②
6. ③
7. ③
8. ①
9. ④
10. ③
11. ④
12. ④
13. ②
14. ④
15. ①
16. ②
17. ④
18. ④
19. ⑤
20. ③

# 민법 및 민사특별법 하프기출문제(2회)

1. ④
2. ⑤
3. ④
4. ①
5. ②
6. ⑤
7. ⑤
8. ②
9. ⑤
10. ③, ⑤
11. ④
12. ①
13. ②
14. ⑤
15. ③
16. ④
17. ③
18. ⑤
19. ①
20. ②

# 부 록

천재성에는 한계가 있을 수 있지만,
어리석음에는 이런 장애가 없다.
- 엘버트 허버드

# 부록1
# 공부방법 팁, 조언 20가지

웃음은 마음의 조깅이다.
- 노먼 커즌즈

[공부 팁 1]
- 공부에 있어서 가장 좋은 전략은 효율성이다. 투자 시간 대비 최고의 성과를 낼 수 있는 방법을 끊임없이 연구하며 수험에 임하여야 한다.

[공부 팁 2]
- 공부가 잘 안될 때는 가벼운 운동 등 잡념을 극복할 수 있는 자신만의 방법을 발견하도록 노력하자.

[공부 팁 3]
- 최종 합격했을 때 이 자격증을 가지고 활동하는 내 모습을 상상하며 공부를 하자. 공부를 할 때 한 층 힘이 날 것이다.

[공부 팁 4]
- 공부가 잘되는 장소는 정해져있지 않다. 사람마다 다르므로 본인이 가장 공부가 잘되는 장소를 찾도록 하자. 그리고 그 장소를 잘 활용하자. 누군가는 독서실이 되고 누군가는 도서관이나 공원이 될 수도 있다.

[공부 팁 5]
- 필기구는 공부에 있어서 플러스 영향을 주는 좋은 아이템이라 할 수 있다. 필기구가 부족하거나, 품질이 떨어져서 스트레스를 받는 일을 줄인다면, 공부가 막히는 경우의 수 하나를 줄일 수가 있다.

[공부 팁 6]
- 오늘은 어제보다 더 낫고 내일은 오늘보다 더 나은 공부 방식으로 공부를 한다고 생각하여야 한다. 그렇게 해야 정체되지 않고 긴장감을 느끼며 효율적으로 공부를 해나갈 수 있다.

[공부 팁 7]
- 문제 풀이로 진입하는 것을 늦추지 말아야 한다.
이론 교재를 완벽히 마스터하고 문제풀이 들어간다는 생각을 하지 말고 교재는 대략적인 목차나 큰 제목 수준으로 익혀 전체 흐름만 아는 상태라 하더라도 문제 풀이로 들어가서 모르는 게 있을 때 역으로 이론을 본다는 생각을 해보자. 한결 공부의 효율성이 높아질 것이다.

[공부 팁 8]
- 두뇌회전을 위해 자는 시간 확보는 중요하다. 자는 시간을 무리하게 줄이면서까지 공부를 한다면 공부시간은 늘어날지언정 피곤한 두뇌로 공부를 하기에 기억력에는 도움이 되지를 않는다. 잠은 피곤하지 않을 정도론 자고, 남은 시간에 공부에 힘을 써보자.

[공부 팁 9]
- 직장인은 공부할 시간이 부족하다는 변동 없는 사실을 겸허하게 받아들이고, 부족한 시간 한도 내에서 최상의 결과를 낼 수 있도록 효율적인 공부를 하도록 하자

[공부 팁 10]
- 공부하다가 지칠 때쯤엔 단순히 공인중개사 자격증만을 위해 공부한다는 목표 외에도 부동산 공부를 하면 할수록 본인의 삶이 경제적으로 좀 더 나아질 수 있다는 믿음을 가지고 수험생활을 해나가자.

[공부 팁 11]
- 최소한의 암기가 바탕이 되어야 이해력이 생기고 응용력이 향상된다. 아무리 이해 중심의 공부를 강조하는 시대라 해도 최소한의 암기는 하자. 그러면 문제 푸는 시간도 단축이 된다.

[공부 팁 12]
- 최종 합격이라는 끝판 관문 외에도 중간중간 스스로의 작은 관문(목표)도 설정을 하자. 공부하는데 활력소가 될 것이다.

[공부 팁 13]
- 공부도 게임이라고 생각을 하자. 게임 캐릭터를 성장해 나갈 때 희열을 느끼듯이, 부동산 지식이 향상되면 좀 더 경제적 부를 추적할 가능성이 높은 사람으로 되어간다는 생각을 해보면 공부하는 과정도 재미를 느낄 수 있다.

[공부 팁 14]
- 본인이 자습에 적합한 수험생인지, 수업식 공부에 적합한 수험생인지를 판단을 하자. 무엇이 더 나은지는 정답이 없다. 그러므로 자습시간이 많을 때 효율이 오르는지, 수업 시간이 많을 때 공부의 효율이 오르는지를 판단하여, 공부가 잘되는 시간의 비율을 늘리도

록 하자.

[공부 팁 15]
- 한 권의 책을 꼼꼼하게 100% 마스터한다는 생각보다는 한 권의 책을 대강 훑어보더라도 끝까지 빠른 시간에 끝낸다는 생각으로 접근하자. 공부에 대한 부담이 많이 줄어들 것이다. 그리고 2번, 3번 여러 번 훑어보는 것을 반복하다 보면 어느새 내용에 대한 이해도가 자리 잡게 될 것이다.

[공부 팁 16]
- 가르치는 것은 배우는 것 이상으로 학습효과가 있다. 공부를 할 때 공부한 내용을 누군가에게 곧 가르친다는 마음으로 공부를 하자. 한 층 더 집중이 잘 될 것이다. 그리고 가르쳐야 할 대상이 없더라도 가상의 대상에게 가르치는 시뮬레이션을 해보자. 강의를 하면서 복습이 되고 학습이 될 것이다.

[공부 팁 17]
- 배경지식도 학습 증진에 도움이 된다. 공인중개사 과목만 공부해도 시험 성적 향상엔 도움이 되지만, 틈틈이 경제뉴스나 신문 등을 보다 보면 시험문제 풀이에도 도움이 되는 배경지식을 습득할 수 있다. 상대적으로 적은 시간을 공부해서 좋은 결과를 내는 사람들 중 상당수가 이렇게 배경지식을 많이 쌓아놓은 사람들이다.

[공부 팁 18]
- 틈틈이 실전 모의고사를 풀면서 실력테스트를 해보자. 점수가 잘 나오든, 잘 나오지 않던 공부하는 데 자극을 줄 수 있다. 그리고 오답정리를 통해 무엇이 부족한지를 파악하고 앞으로의 공부 방향에 보탬이 되도록 하자.

[공부 팁 19]
- 하루를 시작할 때 오늘 해야 할 공부량과 목표치를 설정하도록 하자. 공부하는데 긴장감을 더 해줄 수 있다. 그리고 하루하루 목표량을 채워나갈 때 성취감도 느낄 수 있다.

[공부 팁 20]
- 지금까지의 공부 팁들을 유일한 왕도라고 생각하지는 말자. 하지만 충분히 검증된 참고 가능한 방법들이니, 이 방법들을 활용하고 응용하도록 하자. 그리고 이를 바탕으로 자신만의 공부법을 설계하도록 하자.

# 부록2

# 공부 명언 모음 20

부지런히 꾸준히 달리는 자가 결국 승리한다.
- 저자

[공부 명언 1]
배우기만 하고 생각하지 않으면 얻는 것이 없고, 생각만 하고 배우지 않으면 위태롭다.
- 공자

[공부 명언 2]
인생에서 가장 위대한 교훈은, 심지어 바보도 어떨 때는 옳다는 걸 아는 것이다.
- 윈스턴 처칠

[공부 명언 3]
아버지들은 자신이 대학을 나왔기 때문에, 혹은 자신이 대학을 나오지 않았기 때문에 아들을 대학에 보낸다.
- L. L. 헨더슨

[공부 명언 4]
교육은 최상의 노후 대비책이다.
- 아리스토텔레스

[공부 명언 5]
행동만이 삶에 힘을 주고, 절제만이 삶에 매력을 준다.
- 장 폴 리히터

[공부 명언 6]
교육의 목적은 비어있는 머리를 열려있는 머리로 바꾸는 것이다.
- 말콤 포브스

[공부 명언 7]
배우고 때로 익히면 기쁘지 아니한가
- 공자

[공부 명언 8]
한 사람에게서 모든 덕을 구하려 하지 말라.
- 공자

[공부 명언 9]
나는 믿음을 존중하지만 우리를 가르치는 것은 의구심이다.
- 윌슨 미즈너

[공부 명언 10]
교육 없는 천재는 광산 속의 은이나 마찬가지이다.
- 벤자민 프랭클린

[공부 명언 11]
교육의 위대한 목표는 앎이 아니라 행동이다.
- 허버트 스펜서

[공부 명언 12]
교육이 신사를 만들기 시작하고, 대화는 신사를 완성시킨다.
- 토마스 풀러

[공부 명언 13]
정직과 미덕의 샘이자 근원은 훌륭한 교육에 있다.
- 플루타르코스

[공부 명언 14]
배움은 의무도, 생존도 아니다.
- 에드워즈 데밍

[공부 명언 15]
참된 스승은 제자들이 자신의 개인적 영향을 받지 않도록 방어한다.
- 에이모스 브론슨 올코트

[공부 명언 16]
어느 국가든 그 기초는 젊은이들의 교육이다.
- 디오게네스

[공부 명언 17]
어떤 것을 완전히 알려거든 그것을 다른 이에게 가르쳐라.
- 트라이언 에드워즈

[공부 명언 18]
공부는 배운 것이 잊혀졌을 때 살아남는 것이다.
- B. F. 스키너

[공부 명언 19]
교육을 무시하는 것은 무지한 사람뿐이다.
- 퍼블릴리어스 사이러스

[공부 명언 20]
많이 읽어라. 그러나 많은 책을 읽지는 마라.
- 벤자민 프랭클린

친구는 제2의 자신이다.
- 아리스토텔레스

# 부록3
# 원룸 관리 10계명

강렬한 사랑은 판단하지 않는다. 주기만 할 뿐이다.
- 마더 테레사

[원룸 관리 1]

- 원룸 거래는 사람과 사람 사이에 발생하는 경제활동이다. 원칙을 지키되, 서로 간의 형편을 보면서 배려를 할 줄 알아야 한다.

[원룸 관리 2]

- 민원이 발생하는 일을 최소화 하라. 그럼에도 만약 민원이 발생한다면 즉각 해결하도록 하라. 시간을 지체해서는 안 된다.

[원룸 관리 3]

- 위생과 청결은 관리 최고의 덕목이다. 정기적이고 꼼꼼한 청소는 핵심이다.

[원룸 관리 4]

- 시기적절한 전체 공지사항은 건물주·관리인에 대한 신뢰를 높여 준다. 죽은 건물이 아닌 살아 있는 건물로 남으려면, 임차인에게 안내가 필요할 때는 시기적절한 공지사항을 1층 로비에 서면으로 하든 문자 등의 방법으로 하든 안내를 하도록 하자.

[원룸 관리 5]

- 화재 예방은 필수이다. 귀중한 자산이 존재하고 소중한 생명이 많이 살고 있는 다가구주택에선 더더욱 중요하다. 화재보험에 가입함은 물론이고, 화재 예방에 필요한 적절한 장비 구비와 사전 지식은 꼭 갖추도록 하자.

[원룸 관리 6]

- 주차관리에 문제가 없도록 하자. 주차공간이 넓든 넓지 않던, 주차 문제가 발생치 않도록 납득할 수 있는 내부 규정을 만들도록 하자.

[원룸 관리 7]
- 원룸 관리는 장기적 안목으로 보아야 한다. 단순히 다음 달 월세를 많이 받으려는 시각보다는, 원만한 운영을 위해 멀리 내다보도록 하자. 터무니없는 보증금, 월세 비율로 부동산시장에 내놓으면 안 된다.

[원룸 관리 8]
- 자신만의 원룸 관리 매뉴얼을 만들자. 매뉴얼이 있으면 갑작스러운 문제가 발생했을 시 당황하지 않고 문제에 대응하기가 수월해진다. 원룸 관리 매뉴얼은 틈틈이 작성하여 업그레이드를 해나가면 된다.

[원룸 관리 9]
- 방범에 철저하게 신경을 써야 한다. 아파트보다 보안 수준이 낮을 수도 있으나, CCTV 관리와 함께 주기적으로 공동 비번을 바꾸는 등 보안에 신경을 쓰도록 하자.

[원룸 관리 10]
- 원룸 관리에 비용의 발생은 당연한 현상이다. 돈을 지나치게 아끼려고만 하면 나중에 더 큰 손해로 돌아올 수도 있다. 관리인으로서 관리도 철저하게 해야 하며 피치 못할 비용 발생은 감수하도록 하자.

# 부록4
# 용어 암기 복습장

열정은 세상을 돌게 한다. 사랑은 세상을 좀 더
안전한 곳으로 만들 뿐이다.
- 아이스 티

## 용어 암기 복습장

법률관계:

과실:

관습법:

인격권:

## 용어 암기 복습장

형성권:

권리의 주체:

행위능력:

제한능력자:

종물의 요건:

# 용어 암기 복습장

사용이익:

법률요건:

법률사실:

원시취득:

:

# 용어 암기 복습장

채권행위:

법률행위의 당사자:

법률행위의 목적:

진의 아닌 의사표시:

통정허위표시:

## 용어 암기 복습장

대리제도:

임의대리:

본대리인:

표현대리:

무효:

## 용어 암기 복습장

취소된 법률행위:

기한의 이익:

시효제도:

소멸시효:

물권의 주체:

## 용어 암기 복습장

물권의 객체:

일물일권주의:

물권법정주의:

점유취득시효:

혼동의 효과:

# 용어 암기 복습장

공용징수:

점유권:

선의점유:

점유보호청구권:

소유권:

## 용어 암기 복습장

취득시효:

첨부:

합유:

용익권:

지상권:

## 용어 암기 복습장

지역권:

유치권:

피담보채권:

쌍무계약:

## 용어 암기 복습장

동시이행의 항변권:

제3자를 위한 계약:

계약금:

부당이득:

불법행위:

능력은 그 수요를 결코 충족시킬 수 없을 것이다.

\- 공자

# 부록5
# 메모장

한 권의 책을 읽음으로써 자신의 삶에서 새 시대를
본 사람이 너무나 많다.
- 헨리 데이비드 소로우

Memo

Memo

Memo

Memo

Memo

Memo

Memo

Memo

Memo

Memo

Memo

Memo

# [맺음말]

먼저 여러분의 성원으로 지난 첫 인쇄에 이어 개정판이 나오게 된 것을 감사드린다. 지금까지 공인중개사 1차 시험에서의 두 번째 과목인 민법 및 민사특별법의 아날로그식 수험서를 1회독 하신 것을 축하드린다. 본 수험서가 여러분의 수험생활에 큰 도움이 되었기를 희망하는 한편, 민법 및 민사특별법 문제집도 출간 예정이니 수험생 여러분의 많은 기대를 바란다. 본 수험서가 여러분을 합격으로 인도하는 훌륭한 디딤돌이 되기를 기원한다.

수고하셨습니다.
여러분의 합격을 진심으로 기원합니다.